LYON

Responsable éditorial : Pierre Gerbeaud
Direction artistique : Paolo Genta
Traduction : Charles Hadley
Impression et reliure : Vincenzo Bona S.p.A. Turin (Italie)

ISBN 978-2-88453-152-8

Photographies : **Georges Noblet   Erick Saillet**

Préface : **Jun Märkl**

Textes : **François Gaillard   Didier Repellin   Guy Darmet
Albert Constantin   Antoine Perragin**

La Bibliothèque des Arts

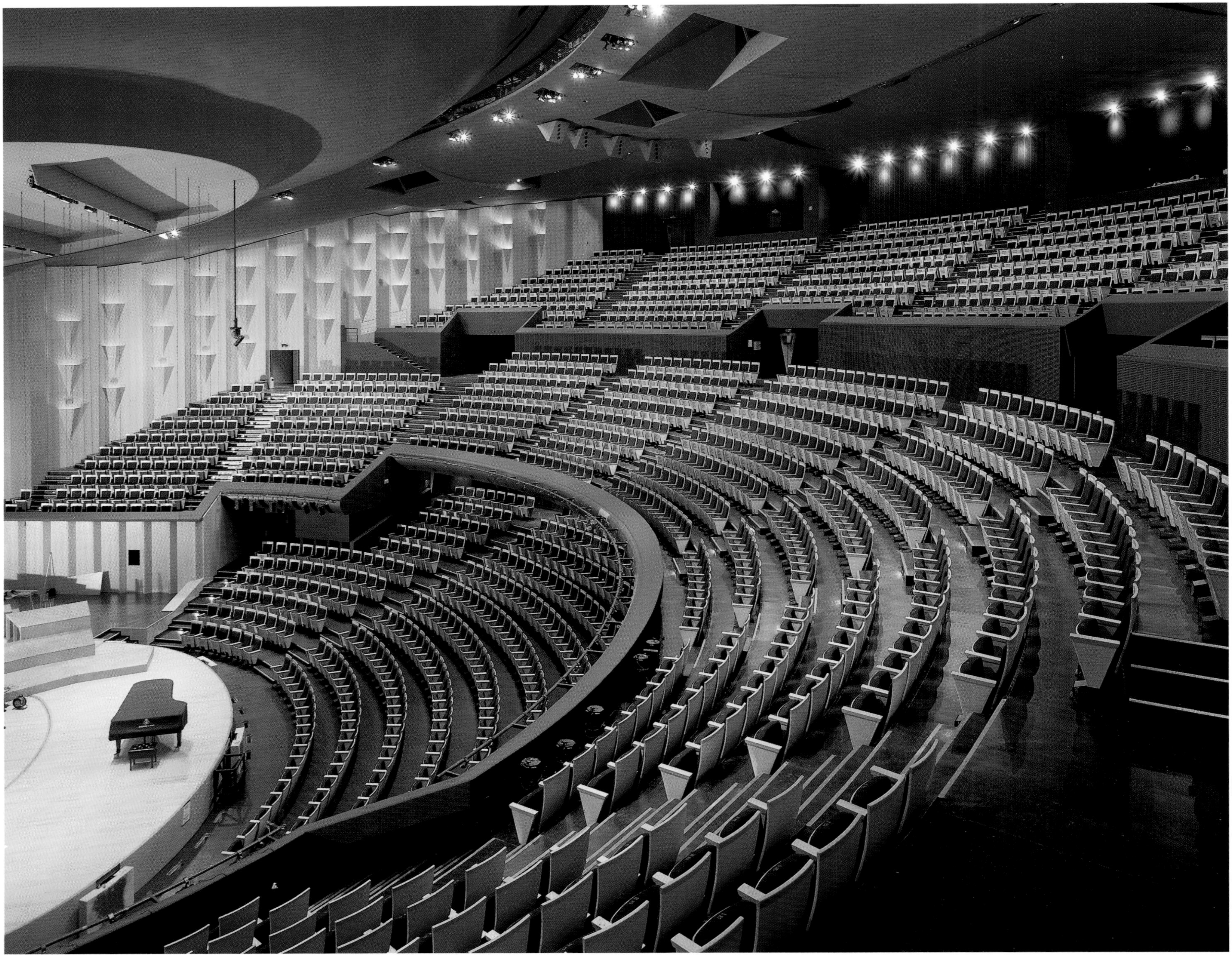

VILLE DE LUMIÈRE ET… DE SONS

Lors de ma première rencontre avec Lyon, j'ai immédiatement été saisi par sa mystérieuse dualité.

À la fois lumière et ombre, Italie et Europe centrale, conservatrice et moderne, citadine et champêtre, silence et musique…

Cette dualité m'a plu et j'ai réalisé assez vite que pour bien vivre ici, il fallait toujours s'offrir la possibilité d'hésiter entre deux options, de ne pas faire de choix précipité, de prendre le temps, d'accepter de se promener. Lyon offre ses méandres et ses reliefs comme autant d'invitations à la déambulation.

Vivre à Lyon, cela signifie se balader en hésitant toujours entre Rhône et Saône, entre colline qui prie et colline qui travaille, entre Alpes à l'est et Provence au sud…

Et dans l'hésitation, quel bonheur de profiter de ses merveilleux trésors qui ne se révèlent pas aux hommes et aux femmes pressés : les détails architecturaux délicieux des églises et des immeubles aux façades « ravalées », les traboules et les escaliers dérobés, la nature quasi sauvage en quelques coups de pagaies sur la Saône et… l'Auditorium qui se cache à la Part-Dieu et qui dévoile à l'oreille attentive les sons de l'Orchestre national de Lyon…

Alors oui, Lyon est une ville de lumière mais c'est également une ville musicale, une ville qui respecte le tempo et l'harmonie qui résonnent. Et chaque pupitre de cet orchestre urbain mérite une vive attention ; la beauté de l'ensemble se perçoit dans chaque détail, la mélodie se compose de toutes les parties de la ville. La musique, comme les fleuves, comme les collines rassemble la ville et ses habitants.

Et chacun peut faire cette expérience unique : flâner à Lyon, découvrir ses secrets, se laisser envelopper par sa lumière et tendre l'oreille à sa symphonie citadine…

LYON, CITY OF LIGHT… AND OF SOUNDS

When I first encountered Lyon, I was struck by the mystery of its two-fold nature: both conservative and up-to-date, urban and country, half-way between light and shadow, Italy and central Europe, silence and music.

I liked that duality, and I became aware that to live comfortably here, you should always keep open the possibility of wavering between two options, never be in a hurry to choose, take your time and go ahead and wander around a little. Lyon's twists and turns, its ups and downs are a constant invitation to a ramble.

Living in Lyon means constantly flip-flopping between the Rhône and the Saône, between the "working hill" and the "praying hill", between the Alps to the east and Provence to the south… And while you're hesitating, how lovely it is to come across those treasures that do not appear to men and women in a hurry: the delightful architectural details of a church or a recently repainted building; the interior passageways and out-of-the-way staircases; near wilderness in a few strokes of the paddle on the Saône; and of course, the Auditorium hiding in the Part Dieu, ready to reveal to the attentive ear the sounds of the Lyon National Orchestra.

So Lyon is indeed a city of light, and a city of music as well, a city that cares about tempo and harmony, that resonates. Every music-stand of the urban orchestra deserves careful attention: the beauty of the whole is to be found is each detail, the melody is made up of all the parts of the city. Music, like the rivers, like the hills, brings the city and its denizens together.

Anyone can have that special experience: wander through Lyon, uncover its secrets, be swept up in its light and lend an ear to its urban symphony.

Jun Märkl

Directeur musical de l'Orchestre national de Lyon.
Conductor and Music Director, Lyon National Orchestra.

Lyon, un des secrets les mieux gardés de France ? Peut-être. Incroyablement belle et préservée, grâce à la vigilance de ses habitants, notre ville s'ouvre progressivement sur le monde et ose dévoiler un visage audacieux (Vélo'V, les berges du Rhône, la Confluence, la tour Oxygène, les victoires de l'OL…) mais aussi incroyablement romantique.

Oui, Lyon est une grande ville romantique d'Europe… C'est en tout cas ce que nous, Lyonnais d'adoption ressentons à chaque balade nocturne sur les quais de Saône, à chaque printemps immaculé de magnolias sur la place des Célestins, à chaque promenade en barque sur le lac de la Tête d'Or…

C'est aussi ce que nous témoignent les millions de touristes qui nous font l'honneur de leur visite chaque année. Car si Lyon a été durant des siècles une ville de commerce et d'industrie, cela signifie avant tout qu'elle est une ville d'échanges, résolument ouverte sur le monde. Cette notion d'accueil, les Lyonnais l'ont toujours eue, mais depuis 1998 et l'inscription de Lyon au patrimoine mondial de l'Unesco, les mentalités changent et les regards sur la ville évoluent…

Depuis, une fierté certaine s'est installée dans le cœur des Lyonnais, accompagnée d'une réelle envie de faire partager la beauté de leur ville au monde entier, mais aussi et surtout la beauté de leur vie. Et c'est finalement cette qualité de vie que nos équipes essaient de promouvoir chaque jour, car c'est d'authenticité dont nos visiteurs ont vraiment besoin. Ce qu'ils recherchent ? C'est de vivre pendant quelques heures une expérience unique, réellement exotique et dépaysante.

Ce que nous leur offrons ?... Un voyage dans notre vie.

Is Lyon one of France's best-kept secrets? It could be. Incomparably beautiful and well-preserved, as the inhabitants keep an eye on it, our city is turning more and more toward the outside world, and making bold to put forward not only its innovative side (Vélo'V, the banks of the Rhône, the Confluence, the Oxygen tour, the Olympique Lyonnais pro soccer team's victories), but also a totally romantic one.

Yes, Lyon is one of Europe's great romantic cities. In any case, that is how we adopted Lyonnais feel whenever we go for a stroll along the banks of the Saône, every spring when the magnolias bloom on the Place des Célestins, or when we rent a rowboat on the lake at the Tête d'Or.

That is also the testimony of the millions of tourists that honor us every year with their visits. For after all, Lyon was for generations a city of trade and industry, which means it was first and foremost a city of exchanges, resolutely open on the world. The Lyonnais have always been welcoming, but since 1998, when Lyon was listed as a UNESCO World Heritage site, mind-sets have changed and the way they look at the city has evolved…

Since then, Lyonnais hearts have swollen with a certain degree of pride, together with a genuine desire to share with the whole world the beauties of their city and especially how full of beauty their lives are. And in the final analysis, that quality of life is what our units try to exhibit every day, because that authenticity is exactly what our visitors are after. What they're after? A few hours of a unique experience, genuinely unfamiliar, that gives them a real change of scene.

What do we have to offer? A journey into our lives.

FRANÇOIS GAILLARD

Directeur général Lyon Tourisme et Congrès.
CEO Lyon Tourism and Conventions.

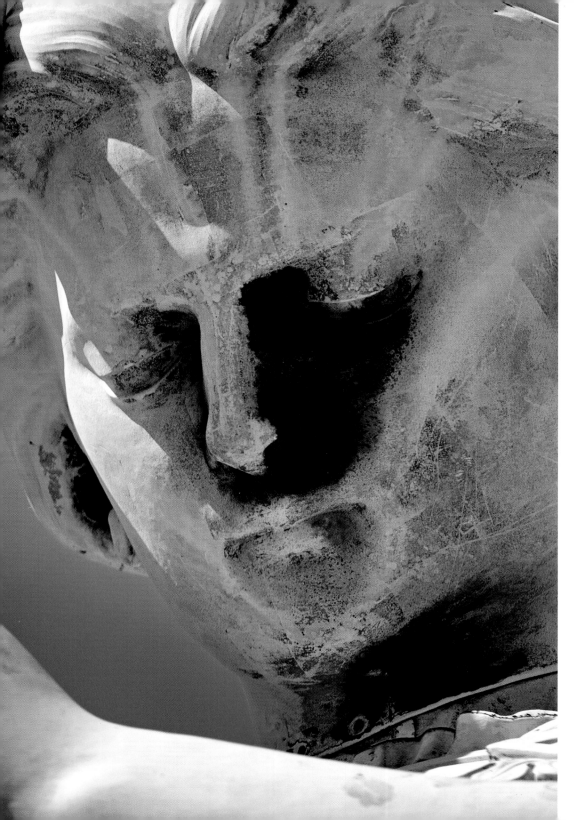

Visage de *L'Archange saint Michel*
(œuvre de Millefaut).

The Archangel Michael's *face,
by Millefaut.*

Juché au sommet de l'abside de la basilique
de Fourvière, l'archange saint Michel
semble veiller sur la ville et l'immense
plaine par-delà la Saône et le Rhône.

*Perched atop the apse of the basilica at
Fourvière, the archangel Michael appears to
be overseeing the city and the broad plain
beyond the Saône and the Rhône.*

Fourvière… le berceau prestigieux d'une ville gallo-romaine, l'antique Lugdunum. « La colline qui prie », selon les mots de Michelet ; sur ses pentes verdoyantes, l'Église égrène ses couvents. Une basilique y est consacrée au culte de Marie, célébrée chaque année le 8 décembre, lors d'une grande fête religieuse et populaire.

Fourvière, the prestigious cradle of a a gallo-roman city, ancient Lugdunum . "The praying hill", to use Michelet's words; on its verdant slopes, the Church sows its monasteries. A basilica is devoted to the Marian cult, celebrated each year on December 8th, with a grand festival, both religious and civilian.

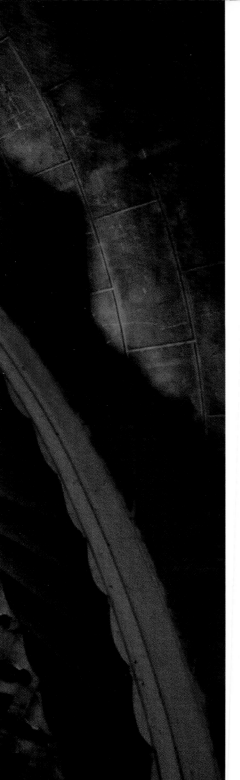

Tapissé de riches mosaïques
dans le style romano-byzantin,
le sanctuaire est une ode à
Marie, mère de Dieu.

The sanctuary, sheathed in
rich mosaics in the Romano-
Byzantine style, is an ode to
Mary, Mother of God.

Escalier intérieur d'une des quatre
tours octogonales de la basilique
édifiée de 1872 à 1896 (architectes :
Bossan et Sainte-Marie Perrin).

The stairway inside one of the
four octagonal towers of the
Basilica, built between 1872 and
1896 by the architects Bossan and
Sainte-Marie Perrin.

Le grand théâtre, vestige du *forum vetus*, est considéré comme l'un des plus anciens du monde romain. Chaque été, renouant avec sa tradition ancestrale, il est le cadre prestigieux des Nuits de Fourvière (danse, musique, théâtre, cinéma...).

The great theater, part of what was once the forum vetus*, is regarded as one of the oldest in the Roman world. Every summer it connects with ancestral tradition by providing a prestigious venue for the Fourvière Nights, with dance, music, theater, cinema, etc.*

Sises sur les pentes de la colline de
Fourvière et dominant la Saône,
les Archives départementales du
Rhône occupent depuis 1907 l'ancien
couvent des Carmes déchaussés,
fondé au XVIIᵉ siècle.

*In 1907, the Rhône Départemental
Archives took over the Convent
of the Discalced Carmelites,
founded in the seventeenth century
on the hillside below Fourvière.*

22

Tours et cheminées dominent les toits du Vieux-Lyon.
Le quai Pierre-Scize, vu depuis les pentes de la Croix-Rousse.

Towers and chimneys above the roofs of Old Lyon.
Quai Pierre-Scize, seen from the slopes of the Croix Rousse.

Le quartier Saint-Jean,
sur la rive droite de la Saône.

The Saint-Jean district,
on the right bank of the Saône.

Rue de la Fronde.
Elle doit son nom actuel à
l'enseigne d'une hôtellerie
qui représentait une fronde.

Rue de la Fronde.
The street-name comes from the sign
of an inn, a " fronde" (slingshot).

Dans le Vieux-Lyon, l'hôtel de la famille Gadagne, originaire d'Italie, abrite aujourd'hui le musée d'Histoire de Lyon et le musée des Marionnettes du Monde.

The Gadagne family hailed from Italy; today, their mansion in Old Lyon houses the Musée d'Histoire de Lyon *(Lyon Historical Museum) and the* Musée des Marionnettes du Monde *(Puppets of the World Museum).*

26

Murs peints : quartiers Saint-Jean *(ci-dessus)* et Saint-Georges *(page de droite)*.
Une invite à la découverte du Vieux-Lyon :
fenêtre ouverte sur la Renaissance italienne.

Wall paintings in the Saint Jean and Saint Georges districts.
An invitation to find out more about Old Lyon:
an window open on the Italian Renaissance.

Rue Juiverie dans le Vieux-Lyon - Escalier à vis de l'Hôtel Paterin construit vers 1550.

Rue Juiverie ("the Jewish district") in Old Lyon. Circular stairway in the Paterin House, built around 1550.

Une mise en lumière de la
cour des Voraces par la grâce
de bobines de fil de soie
(Fête des Lumières 2006,
œuvre réalisée par En passant.
Expérimentations étudiantes).

Lighting for the Cour des
Voraces using old silk
thread spools
(Light Festival 2006,
En passant,
Expérimentations étudiantes).

La fontaine des Jacobins dans le grand bal des poissons
(Fête des Lumières 2008, œuvre de l'artiste concepteur Bibi).

The fishes dance around the fountain at the Place des Jacobins
(Light Festival 2008, Bibi).

La façade Second Empire de
l'Hôtel du Département qui
abrite aujourd'hui la
préfecture du Rhône.

*The Second Empire facade
of the Hotel du Département
where the Prefecture of
the Rhône now is.*

Bulles féeriques à l'occasion de la Fête des Lumières.
Boule de neige, place Bellecour (œuvre de Jacques Rival).
A bubble of fairy-light for the Festival of Light.
Snow-ball, Place Bellecour (Jacques Rival).

Bulle de savon, chevaux de
Bartholdi, place des Terreaux
(œuvre de Spectaculaires -
Allumeurs d'images).

*Soap bubble, Bartholdi
Horses, place des Terreaux
(Spectaculaires -
Allumeurs d'images).*

Le 29 juin 2000 a lieu l'inauguration du nouveau nom officiel de l'aéroport : Lyon - Saint-Exupéry.
Pour célébrer son envol, un rassemblement exceptionnel de montgolfières a lieu sur la place Bellecour.

The airport inaugurated its new name, Lyon - Saint-Exupéry, on June 29, 2000.
A huge hot-air balloon meet was held on the Place Bellecour to celebrate the take-off.

Jeux d'ombres et de lumières sur la place Bellecour, troisième plus grande place de France. Devenue place publique au XVIIᵉ siècle, elle devient place Royale puis reçoit le nom de place Louis-le-Grand en 1714. Place de la Fédération sous la Révolution, place Bonaparte en 1800, de nouveau place Louis-le-Grand en 1815, elle prend définitivement le nom de place Bellecour en 1850. En son centre trône la statue équestre de Louis XIV dans la monte sans étriers d'un empereur romain (œuvre de François-Frédéric Lemot, 1825).

Light and shadows on Place Bellecour, the third largest square in France. Called Royal Square when it became a public square in the seventeenth century, it took on the name of Louis the Great Square in 1714; after being Federation Square at the time of the Revolution, Bonaparte Square in 1800, Louis the Great Square again in 1815, it received its present name of Place Bellecour in 1850. In the center reigns the equestrian statue of Louis XIV, riding without stirrups as did Roman emperors (work by François-Frédéric Lemot, 1825).

Restaurant "Chez Francotte".

Restaurant "Chez Francotte".

Quand Lyon rime avec mâchon et bouchon.
Dès le début du XXᵉ siècle, Lyon fut reconnue capitale
gastronomique française. Au travers de ses « pères » et de
ses « mères » qui dans un décor simple avaient su créer
une ambiance familiale, la tradition s'est perpétuée.
Aujourd'hui, grandes tables et noms prestigieux
rivalisent d'inventivité, sans oublier bistrots,
brasseries, cafés et comptoirs.

*When Lyon goes out to eat. As long ago as the beginning
of the twentieth century, Lyon was the acknowledged
capital of French gastronomy. Restaurants run by "Papas"
and "Mothers" put together a family atmosphere in simple
settings, and the tradition has lived on. Today, refined
cuisines and world-class names rival one another in
inventiveness, not to mention cafés, beer gardens, and bars.*

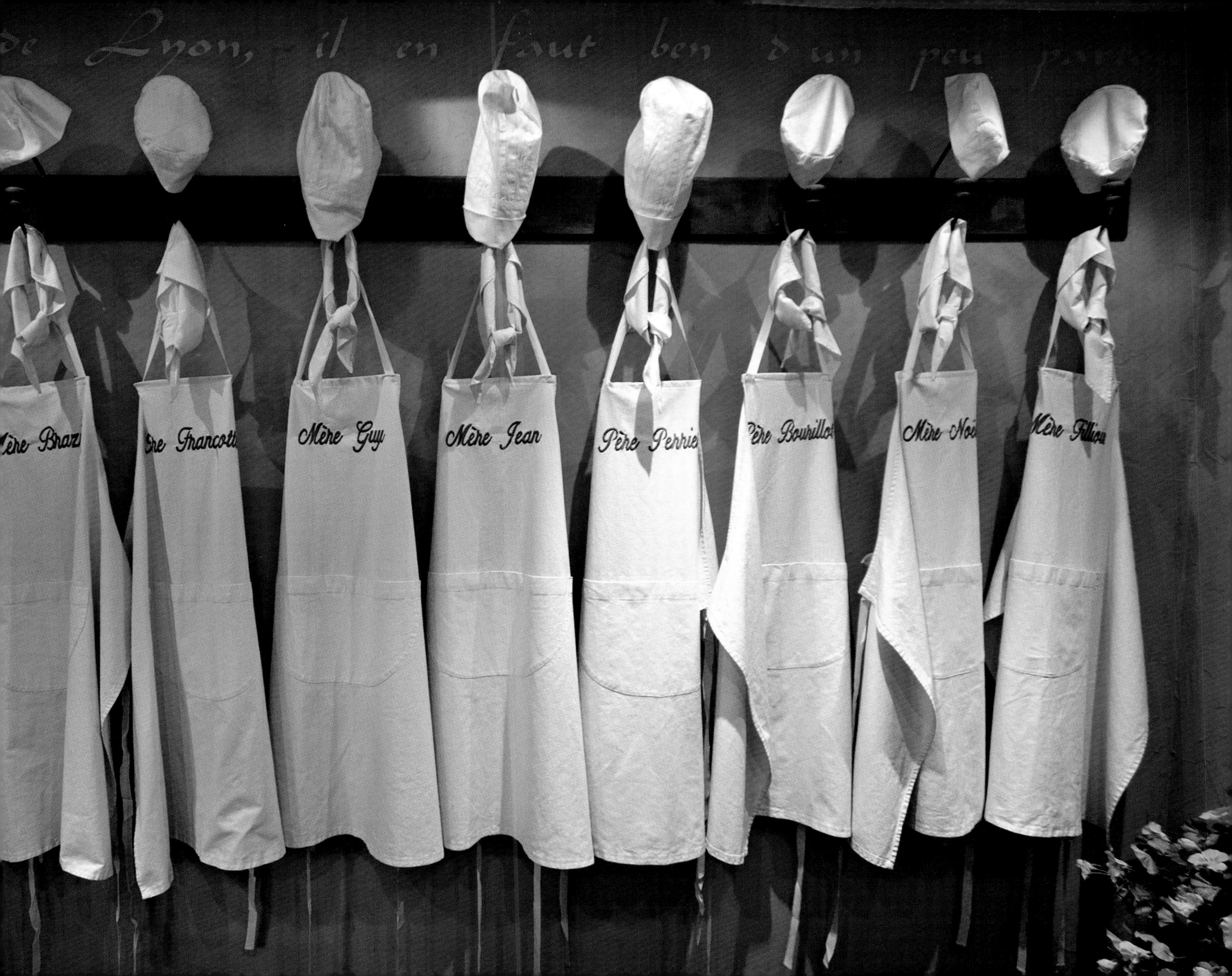
Lyon, il en faut ben d'un peu
Mère Guy
Mère Jean

Entrée historique du théâtre de Guignol,
quai Saint-Antoine.

*The historic entrance to the Guignol
theater on quai Saint-Antoine.*

40

Spectacle de marionnettes dans le Véritable Théâtre
de Guignol créé en 1948 au parc de la Tête d'Or.
S'inspirant de la vie et des déboires des canuts,
Laurent Mourguet invente, au début du XIXe siècle, une
marionnette irrespectueuse et contestataire… le célèbre
Guignol, dont on fête aujourd'hui les deux cents ans. À
charge pour lui, avec son compère Gnafron,
de désarmer les puissants par le rire.

*Puppet show in the Genuine Guignol Theater,
established in 1948 in the Tête d'Or Park.
Taking his cue from the lives and setbacks of the
silk-weavers, Laurent Mourguet invented a feisty,
rebellious puppet at the beginning of the nineteenth
century: the well-known Guignol, who is two hundred
years old now. It is up to him, with his buddy Gnafron,
to disarm the powerful through laughter.*

Ville au confluent de deux fleuves, Lyon a été, depuis l'origine, un passage obligé pour l'Europe du Nord qui voulait rejoindre la Méditerranée en évitant les montagnes des Alpes. Ville de courants la traversant, elle a subi de nombreuses influences qui furent « traduites » physiquement avec un souci permanent du non-gaspillage.

Si la plupart des villes européennes ont entièrement renouvelé l'architecture de leur centre-ville au fur et à mesure des époques et de la mode, Lyon a juxtaposé « ses » centres-villes, offrant ainsi une lecture unique de son histoire : romaine (Fourvière), médiévale (Vieux-Lyon), classique (presqu'île), du XIXe siècle (préfecture) et du XXe (la Part-Dieu et le développement vers l'Est).
Les expressions architecturales donnent à Lyon une lisibilité directe des générations successives à travers les époques. Il ne s'agit donc pas à Lyon d'un patrimoine statique mais d'un patrimoine dynamique, offrant au visiteur un résumé des différents styles de l'architecture. C'est cette notion de 2 000 ans d'évolution architecturale et urbaine, que l'Unesco a voulu célébrer à Lyon.
Lyon ne cherchait pas à se mettre à la mode mais retenait l'essentiel de chaque style, permettant à de grands architectes de faire leurs premières armes : Philibert de l'Orme, Delamonce, Soufflot, etc.

C'est ainsi qu'à Lyon, les pierres ne suffisent pas à donner le ton, c'est la personnalité des commanditaires qui apporte la spécificité des réalisations. Tant dans le milieu des banquiers ou des marchands, des industriels ou des soyeux, des médecins ou des missionnaires, Lyon a toujours entretenu une alchimie équilibrée, parfois provocatrice, mais toujours originale entre le culturel et le cultuel.
Lyon apprend à régir son patrimoine et engendre une architecture sociale spécifique avec les immeubles des canuts, une architecture d'entrepreneurs avec le projet de cité industrielle de Tony Garnier, et une architecture hospitalière avec la gestion des Hospices civils, l'hôtel-Dieu ou la vision pavillonnaire à Grange-Blanche.

Le patrimoine de Lyon a été inscrit à celui de l'Unesco pour sa spécificité : celle d'un livre ouvert sur 2 000 ans d'architecture et d'urbanisme ; celle d'une société qui a, au cours des siècles, hérité d'un patrimoine, l'a géré, l'a mis au goût du jour, parcimonieusement, et l'a transmis.

Ce livre n'est pas un livre d'architecture ordinaire, c'est un roman : on attend toujours le chapitre suivant.

A city where two rivers meet, Lyon has been since its founding a way-station for anyone going from northern Europe to the Mediterranean without going through the Alps. A city with currents going through it, it has been subjected to a variety of influences that were "translated" physically with a constant eye to avoiding waste.

Whereas the architecture of the heart of most European cities has been entirely renovated as periods and fashions came and went, Lyon has set its successive central cities one beside the last, which provides a unique reading of its history: Roman (Fourvière), medieval (Old Lyon), classical (the Presqu'île), the nineteenth century (the Prefecture district), and the twentieth century (the Part-Dieu and the expansion toward the east). Architectural expression has made it possible to read generations through different periods in Lyon. Lyon's is thus not a static heritage, but a dynamic one, giving visitors a summary of different architectural styles. The idea of 2000 years of architectural and urban evolution is what UNESCO wanted to celebrate in Lyon. Lyon never tried to be fashionable, but kept the essentials of each style, giving the great architects like Philibert de l'Orme, Delamonce and Soufflot an opportunity to start their careers.

In Lyon, the stone never suffices to set the tone, it is the client that brings his special touch to the final result. Whether it be in banking or trade, industry or silk-weaving, medicine or missionary work, Lyon has always maintained a balanced alchemy, sometimes provocative, but always original between the cultural and the religious. Lyon learned to manage its heritage and created a socially specific architecture with the silk-weavers' buildings, an architecture for business with Tony Garnier's plan for an industrial complex, and hospital architecture, with the offices of the Public Hospitals, the Hôtel-Dieu, or Grange-Blanche, with its separate buildings for different wards.

Lyon's heritage was registered as a UNESCO World Heritage site because of what makes it special: it is an open book about 2000 years of architecture and city planning; it is a society that over the course of centuries, has inherited a legacy, managed it, brought it up to date in small doses, and handed it on.

The book is not your ordinary book about architecture: it's a novel: the next chapter is eagerly anticipated.

DIDIER REPELLIN

Architecte en chef des Monuments historiques.
Head Architect, French Historical Monuments.

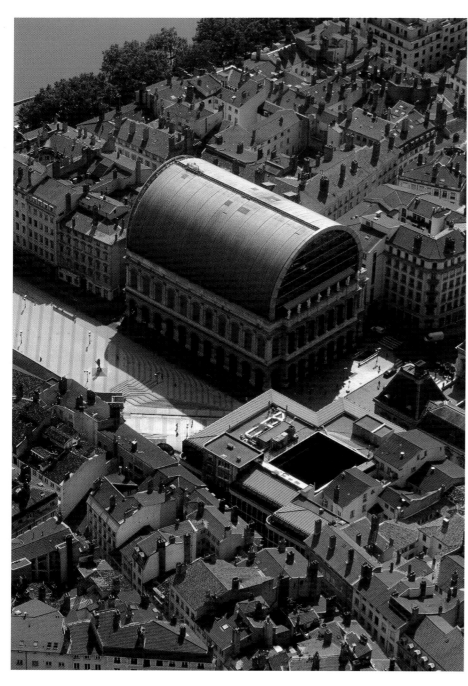

L'opéra et son dôme revisités par
l'architecte Jean Nouvel.

*The dome of the opera house, brought up
to date by the architect Jean Nouvel.*

L'hôtel de ville et son beffroi, le musée
des Beaux-Arts et la place des Terreaux,
l'opéra et le Rhône dans la symphonie des toits.

*The belfry on City Hall, the Fine Arts Museum
and the Place des Terreaux, the opera house and
the Rhône in a symphony of rooftops.*

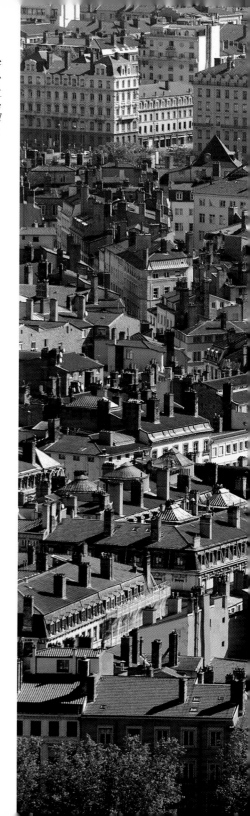

Le foyer de l'opéra et son plafond peint par l'artiste lyonnais Daumer.
Les allégories de la musique qui y sont représentées sont le pendant intérieur
des huit muses, autrefois en pierre, aujourd'hui en fonte, qui ornent la façade.

*The paintings on the ceiling of the lobby at the opera house were done by the
Lyonnais artist Daumer. The allegories of music that he put there echo
the eight muses, formerly in stone, now in cast iron, that decorate the facade.*

L'opéra de Lyon, plus connu autrefois
sous le nom de Grand Théâtre,
au cœur de la Fête des Lumières
(architectes : Chenavard et Pollet).

*The Lyon opera house, better known
formerly as the Grand Theater, at
the heart of the Festival of Lights
(architects: Chenavard et Pollet).*

La façade arrière de l'hôtel de ville
depuis le parvis de l'opéra.

*The back of the City Hall
from the steps of the Opera.*

L'opéra et la cour de l'hôtel
de ville depuis son beffroi.

*The opera house and the
courtyard of the City Hall
from the City Hall belfry.*

La cour de l'hôtel de ville sous la
protection de Neptune et Vénus.

*The courtyard of the City Hall under
the protection of Neptune and Venus.*

La fontaine de Bartholdi (le célèbre sculpteur de la statue
de la Liberté à New York) avec en arrière-plan l'hôtel
de ville. Réalisée en plomb martelé, la fontaine était
originellement conçue pour la ville de Bordeaux. Faute
d'argent, la commande ne fut pas honorée. Garonne et
Dordogne devinrent Rhône et Saône.

*The fountain by the celebrated sculptor of the Statue of
Liberty in New York, Bartholdi, with the City Hall in
the background. The fountain, in hammered lead, was
originally designed for the city of Bordeaux. The order was
cancelled for lack of money. The Garonne and Dordogne
Rivers became the Rhône and the Saône.*

La place des Terreaux, aménagée au XVIIe siècle sur
d'anciens marécages et réaménagée au XXe
sur un parking souterrain par un travail
in situ des architectes Christian Drevet et Daniel Buren :
Déplacement-Jaillissement : D'une fontaine les Autres.
Eclairages LEA Flachard.

*The Place des Terreaux, created out of marshland
in the 17th-century, was restructured above an
underground parking building in the 20th-c. by architects
Christian Drevet et Daniel Buren:* Déplacement-
Jaillissement: D'une fontaine les Autres *(in situ* work).
Lighting LEA Flachard.

54

Cloître de l'ancien couvent des
Dames de Saint-Pierre, devenu
aujourd'hui musée des Beaux-Arts.
Le péristyle enclot un merveilleux
jardin orné de nombreuses statues.

*The cloister of the convent of
the Ladies of Saint Peter,
now the Fine Arts Museum.
The peristyle encloses a
delightful statuary garden.*

Léon-Alexandre Delhomme (1841-1895) :
Démocrite méditant sur le siège de l'âme.

Léon-Alexandre Delhomme (1841-1895):
Democritus meditating on the seat of
the soul.

Carpeaux au travail par Antoine Bourdelle (1909), avec en arrière-plan *L'Âge d'airain* d'Auguste Rodin (1876).

Carpeaux at Work *by Antoine Bourdelle (1909) with Auguste Rodin's* Bronze Age *in the background.*

Chactas sur la tombe d'Atala par Francisque Joseph Duret (1836), d'après l'œuvre de Chateaubriand.

Chactas at Atala's Tomb *by Francisque Joseph Duret (1836), after the work by Chateaubriand.*

L'église Saint-Nizier, dans l'harmonie d'une architecture aux styles et aux époques entremêlés : gothique flamboyant, Renaissance et XIXe siècle.

The architecture of Saint Nizier (Nicetius) Church harmoniously mingles flamboyant Gothic, Renaissance and nineteenth century styles.

Détail du tympan du portail en cul-de-four de l'église Saint-Nizier.

Detail of the quarter-dome tympanum at Saint Nizier Church.

En 1925, les Galeries Lafayette transforment les Grands Magasins des Cordeliers. L'immeuble sera surnommé le « premier gratte-ciel lyonnais ». Sous le grand dôme lumineux est aménagé un salon de thé… pour regarder passer les cygnes dans leur migration vers le Sud (architectes Bertola, Chorel, Larrivé et Renard).

In 1925 the Galeries Lafayette transformed the Grands Magasins building on the Place des Cordeliers, which came to be called "the first Lyonnais sky-scraper". A tearoom occupies the large dome on the roof, from which the swans migrating south can be seen (architects Bertola, Chorel, Larrivé et Renard).

Place des Cordeliers : les reflets du palais de la Bourse dans la façade futuriste de verre et de métal du Grand Bazar. L'institution lyonnaise par excellence a été reconstruite en 2007 par les architectes Jean-Pierre Buffi et Philippe de Fouchier.

The Stock Market building reflected in the futuristic glass and facade of the Grand Bazar. The Lyonnais institution par excellence was rebuilt in 2007 by the architects Jean-Pierre Buffi and Philippe de Fouchier.

62

Devant le palais de la Bourse construit par René Dardel et inauguré par Napoléon III en 1860, buste d'Auguste Isaac (1849-1938), ancien ministre du Commerce et de l'Industrie et président de la chambre de commerce de Lyon.

Bust of Auguste Isaac (1849-1938), Minister of Trade and Industry and President of the Lyon Chamber of Commerce, in front of the Stock Market, designed by René Dardel and inaugurated by Napoleon III in 1860.

Fronton nord du palais de la Bourse,
sculptures de Guillaume Bonnet.

*The north pediment at the Stock Market:
sculptures by Guillaume Bonnet.*

Souvent volée, toujours remplacée, la statue du Mercure ailé de Giambologna (Jean de Bologne, sculpteur flamand qui vécut à la cour des Médicis) orne le passage de l'Argue.

Giambologna's (John of Bologna, a Flemish sculptor in the court of the Medicis) statue of the winged Mercury, which has often been stolen and as often replaced, decorates the passage de l'Argue.

Dans la vaste salle de la Corbeille au sein du Palais de la Bourse, atlantes et cariatides veillent encore sur la Compagnie des courtiers en soie et marchandises. Le plafond peint par Alexandre Hesse (1806-1879) est une allégorie de la ville de Lyon et du commerce.

In the vast trading room at the Stock Market, telmones and caryatids keep watch over the Company of Silk and Goods Brokers. The ceiling painting, by Alexandre Hesse (1806-1879), is an allegory of the city of Lyon and of trade.

66

Cyrano sous les feux de la rampe.
L'emblématique théâtre, anciennement
nommé théâtre des Variétés, fête plus de
deux cents ans ininterrompus
d'art dramatique (œuvre lumière de
Thierry Chenavaud).

Cyrano in the limelight.
The show has been going on at
the emblematic theater, formerly
called the Variety Theater,
for over two hundred years
(light drawing by Thierry Chenavaud).

Le théâtre des Célestins fut construit par Gaspard André en 1877, à l'emplacement d'un couvent de Célestins datant du XVe siècle, lui-même bâti sur les vestiges d'une ancienne commanderie templière du XIIe siècle.

The Celestine Theater was built by Gaspard André in 1877 on the site of a Celestine convent dating from the15th-century, which had in its turn been built on the ruins of a 12th-century Templar commandery.

Le palais de justice est l'œuvre de
Louis-Pierre Baltard (1764-1846).
Le théoricien de l'architecture
néoclassique est très souvent
confondu avec son fils Victor
(1805-1874), l'artisan du pavillon
Baltard des Halles parisiennes.
Les Lyonnais l'appellent
communément les « 24 colonnes ».

*The old Court House is the work
of a theoretician of neoclassical
architecture, Louis-Pierre Baltard
(1764-1846), not to be confused
with his son Victor (1805-1874),
who designed the Baltard Pavilion
in the Parisian Halles.
The Lyonnais typically refer
to it as "the 24 columns".*

Saint-Jean, une cathédrale à l'envolée gothique, doublée d'une primatiale, le pape Grégoire VII ayant en effet donné à l'archevêque de Lyon, en 1074, le titre envié de Primat des Gaules. Construite entre le XIIe et le XVe siècle, ses pierres résonnent encore du travail des milliers d'artisans qui édifièrent ce trésor architectural.

Deux conciles s'y sont déroulés, Henri IV s'y est marié en 1600 avec Marie de Médicis, et Louis XIII, dans cette nef, a remis à Richelieu sa barrette de cardinal.

Saint Jean, with its Gothic sweeps, is also the primatial cathedral, as Pope Gregory VII bestowed the enviable title of Primate of Gaul on the archbishop of Lyon in 1074. Its stones still echo with the work of the thousands of craftsmen that built this architectural treasure between the twelfth and fifteenth centuries.

Two synods were held here, Henri IV married Marie Medici here in 1600, and Louis XIII presented Richelieu with his cardinal's cap in the nave.

Façade ouest de la cathédrale Saint-Jean
avec sa rosace (1393) et son clocher
recelant un bourdon de huit tonnes.

*The rose window (1393) in the west
facade of Saint Jean Cathedral; the drone
in the bell tower weighs eight tons.*

72

Grille d'entrée du parc de la Tête d'Or, dite porte des Enfants du Rhône. Elle fit l'objet d'un concours lancé en 1898 et remporté par Charles Meysson. Longue de 32 mètres et pesant 32 tonnes, la porte est l'œuvre de l'entreprise lyonnaise Jean Bernard.

The main gate to the Tête d'Or Park, called the Children of the Rhône Gate. Charles Meysonn won the designer's competition in 1898, and the 32 meter (105 foot) long, 32 metric ton gate was built by a Lyonnais company, Jean Bernard.

Anciennement ferme de la Tête d'Or et propriété des Hospices, le parc né au XIXe siècle constitue aujourd'hui la grande respiration de Lyon. Tout à la fois parc à l'anglaise, jardin à la française et plaine africaine, saisons et couleurs y rythment les pas du promeneur.

Formerly the Tête d'Or farm, owned by the Lyon Hospitals, the park, first opened in the nineteenth century, is today a breath of air for Lyon. An English garden, a formal French garden and an African savanna all at the same time, the colors of the seasons set the rhythm for strollers.

Détail de la porte d'entrée du parc de la Tête d'Or.
Detail of the main entrance gate at the Tête d'Or Park.

La Centauresse et le faune, bronze de Courtet (1849).
The Centauress and the Faun, *bronze by Courtet (1849).*

Statue de Bernard de Jussieu, célèbre botaniste né à Lyon en 1699.
Statue of the famous botanist Bernard de Jussieu, born in Lyon in 1699.

Mise en lumière éphémère de
la serre Madagascar, lors de la Fête des
Lumières 2003, par la Direction de
l'éclairage public de la Ville de Lyon.

*Temporary lighting of the
Madagascar hothouse by the Public
Lighting Department of the City of Lyon
for the 2003 Festival of Lights.*

Créées par l'ingénieur Védrine, les premières
grandes serres sont inaugurées en 1883.
Elles sont composées de cinq pavillons à
dômes en ogive. En 1972, le grand dôme
central, en mauvais état, est entièrement
reconstruit. Le style Napoléon III disparaît
au profit d'une structure plus industrielle.
L'ensemble est inscrit aux monuments
historiques en 1982. Ce vaste jardin tropical
offre au visiteur la joie de découvrir quelque
1 250 espèces de plantes des milieux tempérés
aux milieux chauds et humides, représentatives
de la flore des cinq continents.

*The first great hothouses, five pavilions with
groined-arch domes, the creation of the engineer
Védrine, opened their doors in 1883.
When the central dome, in poor condition,
was entirely rebuilt in 1972, the Napoleon
III style was replaced with a more industrial
structure. The whole was classed as a historical
monument in 1982.
The vast tropical garden gives the visitor the
opportunity to learn about some 1250 species of
plants from temperate and hot humid climates
from all five continents.*

À chaque instant, l'eau, la couleur et la lumière rivalisent d'harmonie pour envelopper la ville d'un voile de soie.

Autrefois surnommée la « brumeuse » et soumise au désir des dieux, la cité a entrepris sa métamorphose impressionniste par la volonté de quelques humains. Elle s'offre à notre regard à travers le miroir de la Saône et du Rhône. Double est ainsi le plaisir. La Saône est rivière : féminine, sensuelle, presque indolente, mais gare à ses colères homériques ! Elle raconte les jours et le temps écoulés, depuis l'Antiquité jusqu'à la Renaissance et au-delà. Sur ses rives se côtoient empereurs romains et martyrs, rois de France et marchands italiens, Rabelais et Louise Labé, canuts en révolte, religieux et éditeurs païens… Le Rhône est fleuve : masculin, un peu machiste, orgueilleux mais sincère. Sa puissance a franchi montagnes et frontières : il a fallu canaliser sa fougue. Il évoque la modernité. Sur ses quais vertueux règne en maître une architecture sans arrogance aucune : hier Soufflot, aujourd'hui Renzo Piano et Jean Nouvel.

Sur l'écran du jour, tendu comme une pièce de tisserand, la cité se révèle, de l'île Barbe au confluent. Après avoir reflété tant de joliesse, c'est à la sortie de la ville, sur un territoire en devenir, que ces deux miroirs géants, amis de longue date, ne peuvent résister à se mêler, à se fondre l'un en l'autre dans un corps à corps amoureux poursuivi jusqu'à la mer. Car c'est bien vers le grand Sud que nous mène ce ballet aquatique, confirmant la vocation de la ville à être la porte de la Méditerranée. Lyon, à la confluence du temps et de l'espace, est livrée à la géographie d'une rose des vents improbable.

Le souffle du mistral, venu des contrées boréales, vient épouser sa beauté toscane. Il est des matins ouatés et des ciels fauves le soir. Au cœur de l'hiver s'invite la neige ; l'été invente des orages turbulents ; mais toujours une subtile lumière pour sublimer la ville. La nuit, la fée électricité sculpte la cité d'ombres et de magie, gommant toute imperfection, pour n'en laisser paraître que ses grains de beauté.

Danse la ville, danse le monde, danse la vie, danse la lumière.

At every moment, water, color, and light rival one another in harmony to wrap the city in a silken veil. Once upon a time nicknamed "Foggy" and subject to the whims of the gods, the town has undertaken its impressionistic metamorphosis through the will of a few humans. It offers itself up to our gaze through the mirror of the Saône and the Rhône, which doubles the pleasure. The Saône is a tributary river, feminine, sensual, almost indolent, but beware of its Homeric rages! It tells of days and times gone by, from Antiquity till the Renaissance and beyond. On its banks emperors rub shoulders with martyrs, with the Kings of France and Italian merchants, with Rabelais and Louise Labbé, with rebelling silk-workers, with nuns, priests and pagan publishers. The Rhône flows into the Sea; it is masculine, even a little macho, proud but sincere. Its power has gone over mountains and borders, and its fiery spirit has had to be channeled. It suggests the modern. On its virtuous banks reigns an architecture devoid of the slightest arrogance: yesterday: Soufflot's, today, Renzo Piano's and Jean Nouvel's.

On the screen of the day, stretched taut like a weaver's work, the city shows itself from Ile Barbe to the confluent. After having reflected so much that is pretty, it is on leaving the city, in an area full of promise, that the two gigantic mirrors, long-time friends, cannot resist mingling, blending into one another in an amorous wrestling that goes on all the way to the sea. For it is toward the South that this aquatic ballet leads, confirming the city's vocation as the gate to the Mediterranean. Lyon, at the meeting point of time and space, is given over to the geography of an improbable compass rose. The blowing mistral, coming from southern climes, comes to envelop its Tuscan beauty. There are fuzzy mornings and tawny skies in the evening. In the dead of winter, the snow sweeps in, summer comes up with boisterous storms, but there is always a subtle light that makes the city sublime. At night, that fairy electricity sculpts the city with shadows and magic, rubbing out any imperfections, and leaving only beauty marks. Dance, city; dance, world; dance, life; dance, light.

GUY DARMET

Directeur de la Maison de la Danse.
Directeur artistique de la Biennale de la Danse de Lyon.
Director, Lyon Dance Theater.
Artistic Director, Lyon Biennial Dance Festival.

Pont de l'Université.
University Bridge.

Construit à l'emplacement d'un ancien bac desservant les bâtiments universitaires érigés à la fin du XIXᵉ siècle, le pont des Facultés sera détruit lors de la Seconde Guerre mondiale. Reconstruit et conçu sur le même modèle que le pont Lafayette, il devient pont de l'Université. Il symbolise la République renaissante : blasons, écussons et coqs ailes déployées fleurissent le métal et la pierre.

Faculties Bridge was built to take the place of the ferry that served the University, which had been erected at the end of the nineteenth century; the bridge was destroyed during World War II. When it was rebuilt, taking the Lafayette Bridge as a model, it was called University Bridge, and symbolized the reborn French Republic, with coats of arms and winged cocks blossoming on the metal and stone.

Pont de l'Université et bâtiments éclairés
de l'université Jean Moulin - Lyon 3
(Philosophie, Langues, Droit).

*Pont de l'Université (University Bridge)
and lit-up buildings of Université
Jean-Moulin - Lyon 3
(Philosophy, Languages, Law).*

Piscine du Rhône avec son architecture
datant des années 1960, sur la rive gauche
du fleuve, depuis le pont de l'Université.

*The architecture of the swimming pool on
the left bank of the Rhône, seen from the
Pont de l'Université, dates from the 1960s.*

Dôme et clocher de l'hôtel-Dieu,
sur la rive droite du Rhône.
De l'hôpital où exerça Rabelais, rien ne
demeure, les bâtiments actuels datant
principalement du XVIIe siècle.

*The dome and bell-tower of the
Hôtel Dieu Hospital, on the right bank
of the Rhône. Nothing is left of the
hospital where Rabelais was a doctor;
today's buildings date mainly from
the seventeenth century.*

Du parc de la Tête d'Or au parc de Gerland, le nouvel aménagement de la rive gauche des berges du Rhône en espaces verts et voies de circulations réservées aux piétons, vélos et rollers, marque une transformation sans précédent de la ville.

From the Tête d'Or Park to the Park in Gerland, the left bank of the Rhône, reconverted to garden areas and pedestrian, bicycle and roller-skate zones has undergone an unprecedented transformation.

Le pont Lafayette enjambe le Rhône, reliant la presqu'île à la rive gauche du fleuve.

The Pont Lafayette (Lafayette Bridge) over the Rhône, linking the Presqu'île and the left bank.

La piscine du Rhône trouve une nouvelle place dans la promenade rénovée des berges du fleuve.

The public plunge on the Rhône fits differently into the renovated walk along the river-bank.

Le pont Lafayette, reconstruit en 1946, est constitué de trois
travées métalliques qui reposent sur deux piles agrémentées
des allégories du Rhône et de la Saône,
réalisées d'après l'œuvre de Guillaume Coustou.

*The Lafayette Bridge, rebuilt in 1946, is made up of three
spans on two pilings decorated with allegories of the Rhône
and the Saône, after the work of Guillaume Coustou.*

Clocher tour de l'ancien hôpital
de la Charité, construit en 1622 et
détruit en 1934. Il s'agissait à l'époque
du deuxième plus grand hôpital
de Lyon après l'hôtel-Dieu.
Flower Tree (Arbre à fleurs),
Choi Jeong-Hwa, artiste coréen.

Bell tower of the old Charity Hospital,
built in 1622 and demolished in 1934, at
the time the second largest hospital
in Lyon, after the Hôtel Dieu.
"Flower Tree" by the Korean
artist Choi Jeong-Hwa.

Passerelle du Collège, construite
sur le Rhône au XIXᵉ siècle pour
permettre aux élèves habitant
la rive gauche de rejoindre le
lycée Ampère, anciennement
collège des Jésuites.

*The School footbridge,
built over the Rhône in the
nineteenth century so that pupils
from the left bank could get
to the Lycée Ampère, formerly
the Jesuit College.*

Un air de guinguettes sur
les péniches amarrées aux
quais de la rive gauche du Rhône,
entre la passerelle du Collège
et le pont Lafayette.

*An atmosphere of old-fashioned
open-air cafés prevails on the
barges tied up along the left bank
of the Rhône between the School
footbridge and the Pont Lafayette.*

La passerelle Saint-Vincent, sur la Saône,
tremble sous le vent et le pas des piétons.

*The Saint Vincent footbridge, over
the Saône, quivers in the wind,
and with the footsteps of passers-by.*

Passerelle Saint-Georges, pont Bonaparte, passerelle du Palais-de-Justice et, en arrière-plan, les deux flèches de l'église Saint-Nizier.

The Saint Georges footbridge and Bonaparte Bridge, the Courthouse footbridge, with the twin steeples on Saint Nizier (Nicetius) Church in the background.

98

Franchissant la Saône, la passerelle
Saint-Georges relie la presqu'île au
Vieux-Lyon. L'église Saint-Georges,
de style néogothique, est la première
œuvre de Pierre Bossan, l'architecte
de la basilique de Fourvière.
Il la considérait comme
son « péché de jeunesse ».

*The Saint Georges footbridge over the
Saône links the Presqu'île and Old Lyon.
The neo-Gothic Saint Georges Church
was the first work by the architect of the
basilica at Fourvière, Pierre Bossan, who
described it as a "youthful folly".*

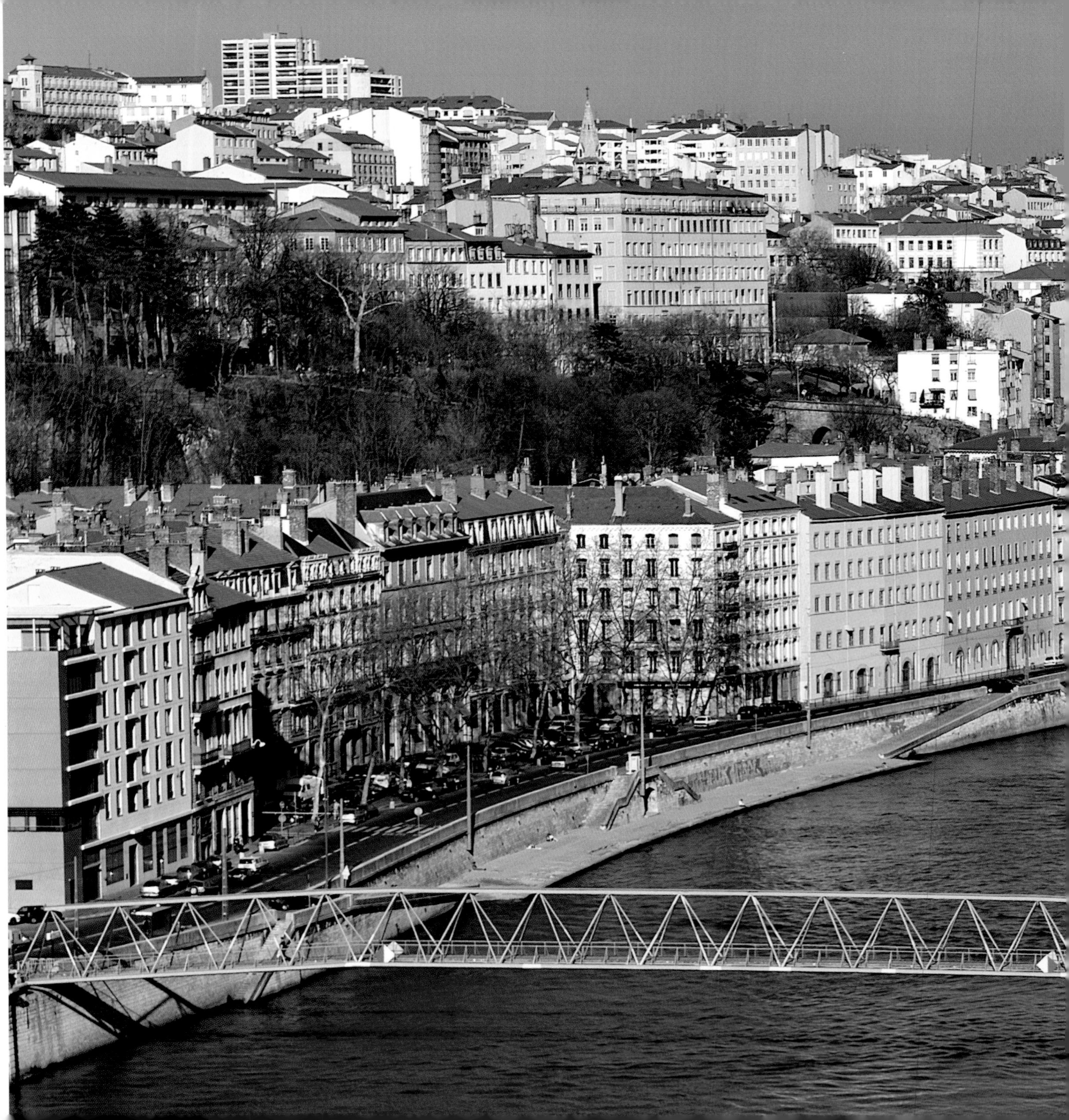

La passerelle de l'Homme-de-la-Roche,
un trait d'union piétonnier sur la Saône,
entre la colline de la Croix-Rousse
et celle de Fourvière.

*The footbridge at l'Homme-de-la-Roche
(the "Man on the Rock"), a thread over
the Saône linking the hill at the Croix
Rousse to the one at Fourvière.*

Située sur l'axe Saône-Rhône, la ville de Lyon est au cœur des
échanges entre fleuves et mers d'Europe, et devient le port avancé de Marseille.
Sur la rive droite de la Saône, le quai Pierre-Scize et la colline de Fourvière.

*With its location on the Saône-Rhône waterway, Lyon is at the heart of exchanges
between the rivers and seas of Europe, an outlying part of the harbor at Marseilles.
Quai Pierre-Scize and the Fourvière hill on the right bank of the Saône.*

Une péniche passe sous le pont de la Feuillée,
laissant dans la courbe de la Saône la colline de la Croix-Rousse.

*A barge slips under the La Feuillée Bridge, leaving
the Croix Rousse hill behind in the curve of the Saône.*

Derniers reflets d'or sur la Saône
et les pentes de la Croix-Rousse, vibrant
hommage de la lumière à la « colline qui
travaille » et à la soierie lyonnaise.

*Dusk glints golden on the Saône and the
slopes of the Croix-Rousse: light pays
vibrant homage to the "hill that works"
and Lyonnais silk.*

La Saône et les haubans éclairés
de la passerelle Saint-Vincent.
La tour de la Part-Dieu et les flèches
de Saint-Nizier sont des balises
citadines sur les eaux du fleuve.

The Saône and the guy-wires glistening
on the Saint Vincent footbridge.
The tower at the Part Dieu and the
steeples at Saint Nizier (Nicetius) are
like urban lighthouses from the river.

La Saône et l'Homme de la Roche affirment la vocation
marchande et la renommée internationale de Lyon.
L'Homme de la Roche : « Jean Kleberger, dit le Bon
Allemand, échevin de Lyon, citoyen de Genève et de
Berne, né à Nuremberg en 1486, mort à Lyon en 1546. »

The Saône and the Man on the Rock confirm Lyon's
calling in trade and its international reputation. The
Man on the Rock is Jean Kleberg, also called the Good
German, a Lyon alderman, a citizen of Geneva and
Bern, born in Nuremberg in 1486, died in Lyon in 1546.

L'ancien couvent des Dames de Sainte-Elisabeth fut bâti au XVIIe siècle
sur les bords de la Saône à Vaise.
Après la Révolution, on transforma les bâtiments pour y installer la première
école vétérinaire de France qui occupa les lieux jusqu'en 1978. D'importants
remaniements architecturaux permirent au Conservatoire national supérieur de
Musique et de Danse de s'installer dans les lieux dès 1988.

*The Saint Elisabeth convent was built in the 17th-century
on the banks of the Saône in the Vaise district.
After the Revolution, the buildings were transformed into the first veterinary
school in France, which remained there till 1978. Major architectural
remodeling made it possible for the National Music and Dance Conservatory to
move into its new quarters in 1988.*

Vue aérienne du confluent, lieu emblématique de jonction des eaux de la Saône et du Rhône. La ville du passé s'y projette dans l'avenir en un quartier naissant et un musée des Confluences en devenir dont l'ambition est de traduire la complexité du monde. Son objectif est de rendre compte des rapports entre sciences et sociétés, en insistant sur la pluralité des unes et la diversité des autres.

An aerial view of the confluent, the emblematic locus of the meeting of the waters of the Saône and the Rhône. The city's past projects itself into the future here, in a neighborhood undergoing renovation and a planned Museum of Confluences whose ambition is to reveal the complexities of the world. Its objective is to account for the relations between the sciences and societies, calling special attention to how many there are of the ones, and how diverse the others are.

La Saône dans sa succession de ponts,
depuis le sud de la ville.

*The bridges lined up along the Saône,
from the south.*

L'île Barbe, barque oblongue refusant de
s'amarrer aux quais de la ville.
Elle est balise sur les eaux de la Saône, en
amont de Lyon.

*The Ile Barbe, an oblong boat that just
will not tie up to the wharfs of the city.
It serves as a landmark on the waters of
the Saône, upstream from Lyon.*

114

Le clocher de l'église Notre-Dame des Grâces domine l'île Barbe depuis le XIIᵉ siècle.
Il est point d'orgue sur cette île, anciennement « Sauvage » ou « Barbare »,
dont l'harmonie paisible a été préservée.

The steeple on the Our Lady of the Graces Church has overlooked Ile Barbe
since the twelfth century and is the high point of the island,
that used be "Wild" or "Barbaric"; it has preserved its peaceful harmony.

Lyon s'embellit au cours du temps, et la beauté est bien une exigence sociale.
La ville se façonne et se transforme à l'écoute de ses citadins.
Elle a enfin estompé les excès d'un urbanisme ravageur pour retrouver ses vraies valeurs et son histoire, et pour tracer son futur.
Elle anticipe un nouveau mode de vie urbain.

Ses lieux de partage et de plaisir sont le signe d'une ville accueillante et rayonnante.
La reconquête des berges a montré que l'on pouvait offrir des lieux magiques, des lieux de convergence, des lieux de vie : « consommer » sans dépenser.
La ville, après avoir longtemps délaissé ses cours d'eaux au creux des perrés, fraye de nouveau amoureusement avec ses rives : ici, à la Cité internationale ou dans le parc de Miribel ; là, le long des berges et du confluent.

Lyon s'ouvre, se cultive, s'amuse, joue et gagne. Lyon se montre, s'illumine, coule, construit, s'exporte, s'internationalise.
Son architecture se veut plus ambitieuse, sans chercher l'extravagance.
Ses friches, objets de bien des convoitises et de débats, lui donnent des potentialités de redéploiement qui seront ses atouts le moment venu.
Ses places, revisitées par les paysagistes et autres architectes, retrouvent leur éclat.
Ses lieux d'enseignement et de culture se régénèrent et se développent pour accueillir un peu plus et beaucoup mieux.
Les catacombes ont laissé la place au métropolitain.
La rue a retrouvé son statut urbain d'échange, délaissant lentement et inexorablement la sacro-sainte voiture en perte de vitesse au profit d'un tram futuriste qui glisse avec élégance et discrétion.

La ville a repris des couleurs et, le soir venu, brille de tous ses feux. Lyon a appris à se faire aimer.
Lyon retrouve son évidence.

Lyon has become more beautiful with time, and beauty is a social necessity. The city has remodeled and transformed itself by taking its inhabitants into account. It has finally blunted urban planning's destructive excesses to recover its real values and its history, and to lay out its future. It is looking forward to a new kind of city life.

Its spaces for sharing and for pleasure are signs of a welcoming and influential city. Taking back the banks of the Rhône demonstrated that it is possible to provide magic places, places for meeting together, place for living: "consumption" without spending. The city, after relegating its water-courses to culverts, has once again begun to rub elbows lovingly with the waterfronts: here, at the International Complex or the park at Miribel; there, along the banks in town and at the confluent.

Lyon is opening up, getting culture, having fun, playing and winning. Lyon is showing off, lighting up, flowing, building, exporting, becoming more international. Architecture there is becoming more ambitious, without trying to be extravagant. Its much-coveted and much-discussed undeveloped areas, have potential for redeployment that will be strong suits when the time comes. Its squares, that are being refurbished by landscape and other architects, are recovering their brilliance. Its educational and cultural institutions are developing, to take in a few more, and mostly a lot better. The catacombs have given way to the subway. The role of the street as a place for interaction has been returned to it, pushing aside, slowly but surely, the sacrosanct automobile, which is losing ground to a futuristic street-car that glides elegantly and discreetly by.

The city has gotten all its color back, and as the evening falls, shines out with all its lights. Lyon has learned to be loved, and is once again beyond doubt.

ALBERT CONSTANTIN

Architecte.
Architect.

L'université Claude Bernard - Lyon 1 est implantée au cœur du pôle universitaire et scientifique de Gerland (Atelier d'architecture Bruno Dumetier).

Claude Bernard University (Lyon 1) is located in the heart of the science and research center in Gerland (Architecture: Bruno Dumetier).

La Cité scolaire internationale, à Gerland, a été conçue d'après les plans de Françoise-Hélène Jourda et Gilles Perraudin, deux architectes qui sont à l'origine de la création de l'école d'architecture de Lyon. De l'école primaire au lycée, la CSI accueille des élèves de 48 nationalités différentes, qui grandissent ensemble et dont la langue commune de scolarité est le français, mais qui étudient aussi dans leur langue maternelle.

The International School Complex in Gerland was built from plans by Françoise-Hélène Jourda and Gilles Perraudin, two of the architects that originated the architecture school in Lyon. From primary school through to high school, the Complex brings together pupils of 48 different nationalities to grow up together with French as their common language, while they also have courses in their mother tongues.

La Halle Tony Garnier, édifiée en 1914
pour la stabulation des bestiaux dans l'enceinte
des abattoirs de Gerland et entièrement
restructurée par Albert Constantin,
abrite depuis 1988 des expositions,
des spectacles, des salons et des congrès.
Sa charpente métallique est exceptionnelle.

*The Tony Garnier Building, built in 1914
as stables for the animals at the Gerland
slaughterhouse, has since 1988, after complete
restructuring by Albert Constantin, been home to
exhibits, shows, trade-fairs and conventions.
Its metal framework is quite unusual.*

Le stade de Gerland, construit par Tony Garnier en 1914,
fut restructuré et agrandi par Albert Constantin à l'occasion
de la Coupe du monde de football en 1998. Il est inscrit à
l'inventaire des monuments historiques depuis 1967,
avec notamment les quatre portes néoclassiques de son enceinte.

*The stadium that Tony Garnier built in Gerland in 1914
was restructured and enlarged by Albert Constantin
for the World Soccer Cup in 1998.
It has been registered as a historical monument since 1967,
especially for its four neoclassical entrances.*

Berceau de l'Olympique Lyonnais, le stade de Gerland peut s'enorgueillir des sept titres d'affilée de champion de France de football engrangés par le club depuis 2002 ! Un record dans les annales du football européen.

The home of the Olympique Lyonnais, the Gerland stadium brought home seven French soccer championships in a row starting in 2002, a record in the history of European soccer!

Le parking souterrain des Célestins, créé en 1994 par Michel Targe, évoque une tour Renaissance inversée. Le puits de 22 m de profondeur, ajouré de baies, est animé par un miroir pivotant dû à Daniel Buren (*Sens dessus dessous*, sculpture *in situ* en mouvement).

The underground parking structure at the Celestins, designed in 1994 by Michel Targe, is reminiscent of an upside-down Renaissance tower. The 22-meter-deep well, surrounded by bays, is enlivened by a revolving mirror designed by Daniel Buren.

L'hôpital Saint-Joseph - Saint-Luc
(architectes : CRB Architectes et
Didier Manhès ; plasticienne : Cécile Bart)
le long de la rive gauche du Rhône,
à proximité des Facultés.

Saint-Joseph - Saint-Luc along the
left bank of the Rhône,
near the University.

Avec son tout nouveau tram, la
ville renoue avec la tradition,
celle de la Compagnie des
omnibus et tramways de
Lyon créée en 1879.

The brand-new steet-car system
reunites Lyon with a tradition:
the Lyon Omnibus and Streetcar
Company, dating from 1879.

Le « château » Lumière est une grande maison bourgeoise datant de la toute fin du XIXᵉ siècle et conçue selon les plans d'Antoine Lumière, peintre et photographe. Il est le père d'Auguste et Louis, les célèbres frères Lumière, inventeurs du cinématographe (1895). Cette belle bâtisse est aujourd'hui le siège de l'Institut Lumière, à deux pas de l'endroit où fut tourné le premier film de l'histoire du cinéma : *La Sortie des usines Lumière.*

The Lumière "castle" is a large mansion dating from the very end of the nineteenth century, built from plans by Antoine Lumière, a painter and photographer. His sons, Auguste and Louis, the famous Lumière brothers, invented the cinematographe in 1895. The grand building is now the seat of the Institut Lumière, a stone's throw from the place where the first film in the history of cinema was made: Sortie des Usines Lumières (Getting Off Work at the Lumière Factory).

Rhône-Alpes Cinéma, une structure créée au début des années 1990, à l'initiative de Roger Planchon.
En 2002, il ouvre à Villeurbanne le Studio 24, un plateau de cinéma doublé d'une salle de spectacle.
Aujourd'hui, ce sont deux nouveaux studios, Lumière 1 et Lumière 2, en hommage aux frères Lumière,
qui voient le jour au sein du pôle Pixel. Ces différents plateaux de tournage sont regroupés
sous l'appellation Rhône-Alpes Studios. Clap moteur ! (Architecture : Rue Royale Architectes).

Roger Planchon had the idea for Rhône-Alpes Cinéma in the early 1990s. He opened Studio 24,
a combined movie set and theater, in Villeurbanne in 2002. Today, two new studios, Lumière 1 et
Lumière 2, in honor of the Lumière brothers, have come to life in the Pixel center.
The various sets are grouped together under the name of Rhône-Alpes Studios.
Lights! Camera! Action! (Architecture: Rue Royale Architectes).

La Cité internationale, dans laquelle se situe le Centre de congrès de Lyon, représente la concrétisation réussie de l'un des projets les plus ambitieux de la ville. Sur un site de 20 hectares fortement marqué par deux éléments naturels, le Rhône et le parc de la Tête d'Or, la qualité de l'architecture, mais aussi et surtout celle des espaces publics, est essentielle.

Cette volonté qualitative s'est traduite par le choix d'un des plus grands architectes contemporains, Renzo Piano, et du paysagiste Michel Corajoud.

Un nouveau quartier où il fait bon aller.
Juste à l'entrée nord-est du centre-ville, à proximité du réseau autoroutier et du périphérique nord, la Cité internationale offre aux regards sa silhouette originale et élégante.
Lumineuse, transparente et fonctionnelle, cette « ville dans la ville », dont les bâtiments épousent la courbe du fleuve, propose une toute nouvelle conception de l'aménagement urbain au service de l'environnement et du développement économique.

The International Complex, where the Lyon Convention Center is located, is the highly successful implementation of one of Lyon's most ambitious projects. On a 20-hectare (50-acre) site, bounded by two major natural features, the Rhône and the Parc de la Tête d'Or, the high quality of the architecture, and to an even greater extent, that of the outdoor spaces, is crucial.

The search for high quality led to the choice of one of the best contemporary architects, Renzo Piano and the landscape architect Michel Corajoud.

It is a new neighborhood where it is pleasant to go. Just at the north-east entrance to the city, near the motorway and the north ring-road, the International Complex strikes the eye with its unusual, elegant silhouette. Well-lit, easy to grasp and functional, this "city in the city", with its buildings following the curve of the river, brings to Lyon an all-new conception of urban planning designed with both the environment and economic development in mind.

ANTOINE PERRAGIN
Directeur général du Centre de congrès de Lyon.
CEO, Lyon Convention Center.

La Cité internationale, entre
le Rhône et le parc de la Tête
d'Or, souligne d'un coup
de crayon architectural la
courbe du fleuve.

*The International Complex
between the Rhône and the
Tête d'Or Park, sets off the
curve of the river with an
architectural flick of
the pencil.*

La Cité internationale, sur la rive gauche du Rhône,
vue depuis le Petit Versailles et les hauteurs de Saint-Clair.

*The International Complex on the left bank of the Rhône,
seen from Little Versailles and the heights of Saint Clair.*

Centre de congrès de Lyon.

Lyon Convention Center.

Roseraie et parc de la Tête d'Or,
depuis la Cité internationale.

The rose garden at the Tête d'Or Park,
from the International Complex.

Le " couloir de la chimie " doit son appellation à la présence de
nombreuses activités de ce type implantées sur place.

*South of Lyon, the town of Feyzin is home to a petrochemical plant.
The name "Chemistry corridor" comes from the large number of
chemical companies in the area.*

Je photographie comme je peins. Le pinceau ou l'objectif sont les outils de l'artisan. Une sorte de filet à papillons. Le vrai maître de la photo est le sujet. Et j'aime à ressentir et à interpréter ce que le sujet ou l'évènement me dit, me chuchote ou me crie, et à le capturer le plus justement possible. Comme mon illustre prédécesseur Jean-Baptiste Siméon Chardin, merveilleux peintre plein de tendresse, du XVIIIe siècle, qui « peignait la gloire des choses ordinaires », rien à mes yeux n'est « ordinaire », c'est le regard qu'on lui porte qui fait que la chose est sublime ou fade. On photographie d'abord avec son cœur, aidé de son expérience et de techniques qui sont à son service. Comme le disait encore Chardin : « On se sert des couleurs, mais on peint avec le sentiment. » C'est ce que je m'efforce de ne pas oublier, afin d'interpréter ce que je vois comme on interprète une partition musicale. Sans amour, ce que l'on fait est vain et vide.

I take photos the same way I paint; the brush and the lens are the tools of the craftsman, a sort of butterfly net. The real master of the photograph is the subject, and I love feeling and interpreting what the subject or the event say to me, whispering or crying out, and capture it as accurately as possible. Like my illustrious predecessor the marvelously tender eighteenth century painter Jean-Baptiste Siméon Chardin, who "painted the glory of everyday things", to my eye, nothing is "everyday": it's the way we look at things that make them sublime or dreary. Photographs are made first with the heart, with the assistance of the experience and the technique that are there to help. As once again, Chardin said, "Colors are put to use, but painting is done with the feelings." I make every effort not to forget that, in order to interpret what I see the way I might a musical score. What is done without love in bootless and empty.

© Chunsum Choi
Chicago - USA

GEORGES NOBLET
Photographe
Photographer

De Bilbao à Bora Bora, en passant par Lyon, sa ville natale, Erick Saillet réalise d'abord des films publicitaires et institutionnels, avant de se tourner en 1993 vers la photographie dont il explore perspectives et lumières. L'œil dans l'objectif, en studio ou *in situ*, il sublime les courbes et les droites de la « mère des arts ». Offrant son regard d'esthète, il se fait le chantre de l'architecture, de la décoration intérieure et du design.

En parcourant les ouvrages dont il est l'auteur – le dernier en date, *Polynésie, la tentation de l'île* –, en feuilletant les nombreux magazines auxquels il participe régulièrement – *Maison Française, Côté Est, Côté Sud,* mais aussi *Baumeister* et *Detail* (Allemagne) ou *Abitare* (Italie) –, défilent sous nos yeux musées mythiques, hôtels prestigieux et maisons de rêve.
Se jouant de l'ombre et de la lumière, il crée des images et des atmosphères qui sont autant d'invitations au voyage et à la réflexion.

From Bora Bora to Bilbao by way of his hometown, Lyon, Erick Saillet started out making advertising and institutional films before turning to the perspectives and lights of photography in 1993. With his eye in the objective, be it in the studio or on location, he distills the curves and straight lines of the "mother of arts". With his aesthetic sense, he praises to the skies architecture, interior decoration and design.

© Benoit Ravier-Bollard
Studio Erick Saillet

Look through his works - the most recent is Polynesia, Temptations of the Island *- leaf through the magazines he regularly contributes to -* Maison Française, Côté Est, Côté Sud, *not to mention* Baumeister *and* Detail *(Germany) ou* Abitare *(Italy) - to see legendary museums, prestigious mansions and dream houses. His plays on shadow and light create images and atmospheres that are nothing if not invitations to travel and to reflection.*

ERICK SAILLET
Photographe
Photographer

Remerciements :

L'éditeur remercie pour leur précieuse participation à la réalisation de cet ouvrage :

les auteurs de la préface et des différents chapitres,

les photographes Georges Noblet et Erick Saillet,

Patrick Le Floch pour la rédaction des légendes,

Charles Hadley pour la traduction anglaise,

ainsi que tous les propriétaires des bâtiments et des sites reproduits.

Crédits photographiques :

GEORGES NOBLET :

p. 3 - 8 - 10 - 14 - 15 - 18 - 20 - 22 - 23 - 24 - 25 - 26 - 27 - 37 - 39 - 42 - 45 -
54 - 56 - 57 - 59 - 60 - 61 - 62 - 63 - 65 - 67 - 72 - 73 - 74 (d) - 77 - 78 - 87 -
88 - 89 - 90 - 91 - 93 - 94 - 95 - 98 - 100 - 104 - 107 - 114 - 115 - 124 - 126 -
127 - 130 - 132 - 136 - 137 - 140 - 142.

ERICK SAILLET :

p. 5 - 6 - 11 - 12 - 16 - 28 - 31 - 34 - 38 - 41 - 44 - 46 - 48 - 49 - 50 - 51 - 52 -
53 - 55 - 58 - 64 - 68 - 69 - 70 - 71 - 74 (g) - 75 - 76 - 80 - 82 - 84 - 85 (g) -
85 (d) - 86 - 92 - 97 - 102 - 106 - 108 - 109 - 110 - 112 - 113 - 116 - 118 - 119 -
120 - 121 - 122 - 123 - 125 - 128 - 129 - 131 - 134 - 138 - 143 - 144.

PIERRE JAYET :

p. 30.

PATRICK LE FLOCH :

p. 29 - 32 - 33 - 36 - 66 - 96 - 99 - 103.

BENOIT RAVIER-BOLLARD - Studio ERICK SAILLET :
p. 40.

Crédits Infographie (ASYLUM - Lyon - 2009) :

p. 5 - 11 - 110 - 111 - 134 - 135.

Gare TGV de Lyon - Saint-Exupéry (architecte Santiago Calatrava).

The TGV station of Lyon - Saint-Exupéry (architect Santiago Calatrava).

Achevé d'imprimer en Italie au mois de septembre 2009.